PAPIER

Auteur: Roser Piñol
Traduction française: Christine Dermanian

Titre original en espagnol: *Juega con papel*

© Parramón Ediciones, S.A. 1992
© Editions Fleurus, París, mars 1993

Dépôt légal: septembre 1997
ISBN: 2-215-01924-7
Imprimé en Espagne
2e édition

PAPIER

FLEURUS
IDEES

Editions Fleurus, 11, rue Duguay-Trouin 75006 Paris

La chenille

1. Plie en accordéon du papier fort.
Prépare aussi un fil avec un nœud au bout.

2. Découpe les pointes
de la bande comme ci-dessus.

3. Colorie chaque partie
de l'accordéon
d'une couleur différente.

4. Fais un trou
à l'une des extrémités.
Passe le fil dedans.

5. Tu peux faire des chenilles
de toutes les couleurs et de toutes
les formes.

Animaux en papier

1. Dessine et découpe deux formes en papier de l'animal.

2. Monte les deux formes ainsi.

3. Fais les oreilles de l'éléphant.

4. Découpe tous les ornements.

5. Colle le tout.

6. Regarde comme ils sont jolis !

Un vase

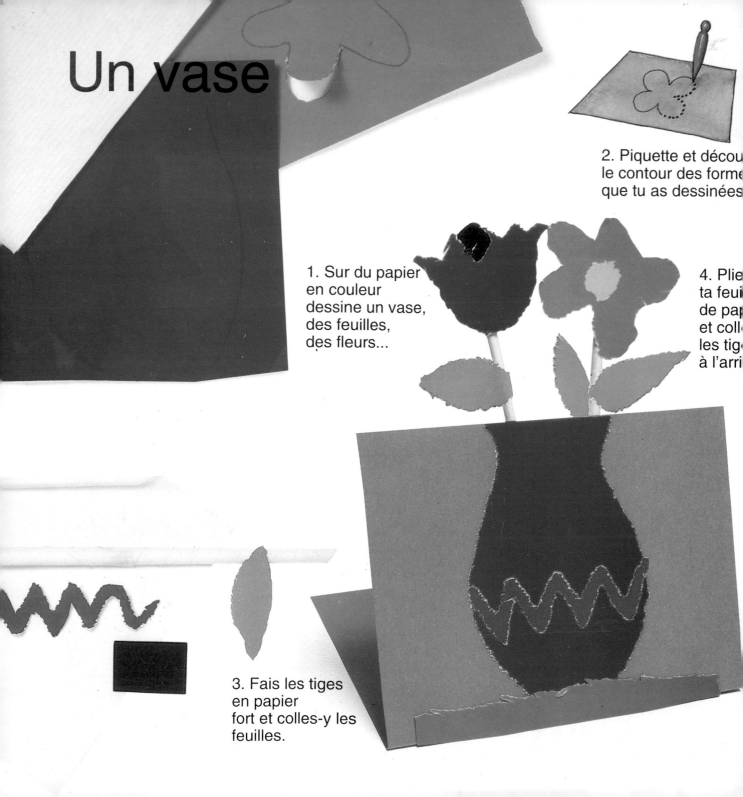

2. Piquette et décou...
le contour des forme...
que tu as dessinées

1. Sur du papier
en couleur
dessine un vase,
des feuilles,
des fleurs...

4. Plie...
ta feui...
de pap...
et coll...
les tig...
à l'arri...

3. Fais les tiges
en papier
fort et colles-y les
feuilles.

Une mosaïque

Découpe des bandes de papier sur des magazines.
Ensuite, découpe ces bandes en petits carrés.

Colle les petits
carrés sur
une feuille
de papier fort.

Papier déchiré

1. Tu peux faire des tas de
choses avec des chutes
de papier.

2. Déchire ces papiers
en morceaux
de taille différente.

3. Commence à colle
les morceaux
de la même couleur.

4. Et voilà
un beau
paysage !

Les fleurs

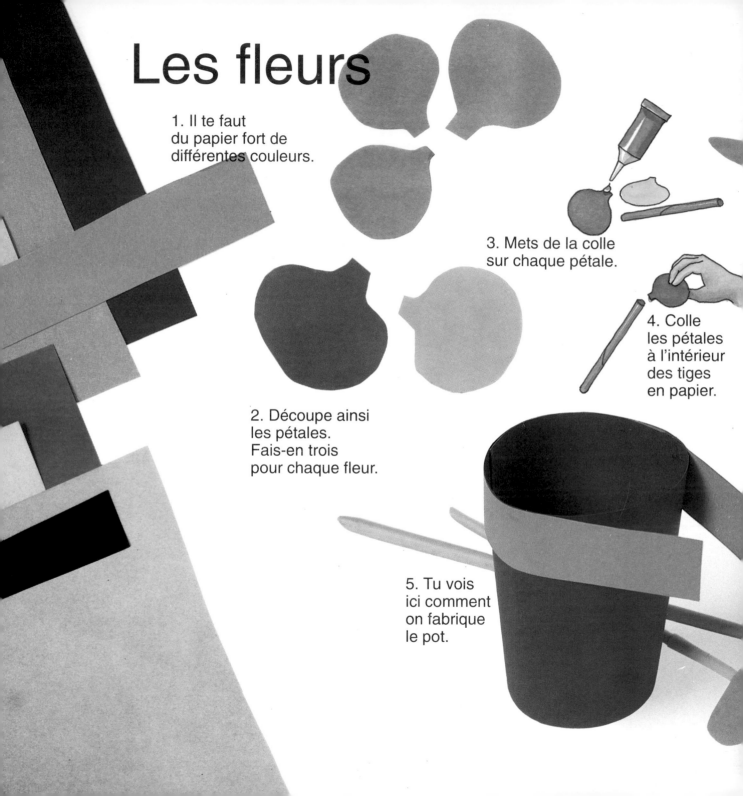

1. Il te faut
du papier fort de
différentes couleurs.

2. Découpe ainsi
les pétales.
Fais-en trois
pour chaque fleur.

3. Mets de la colle
sur chaque pétale.

4. Colle
les pétales
à l'intérieur
des tiges
en papier.

5. Tu vois
ici comment
on fabrique
le pot.

6. Les feuilles de papier qui soutiennent les tiges des fleurs sont faites ainsi.

7. Place tout dans le pot de fleurs. Et c'est fini !

Les ribambelles

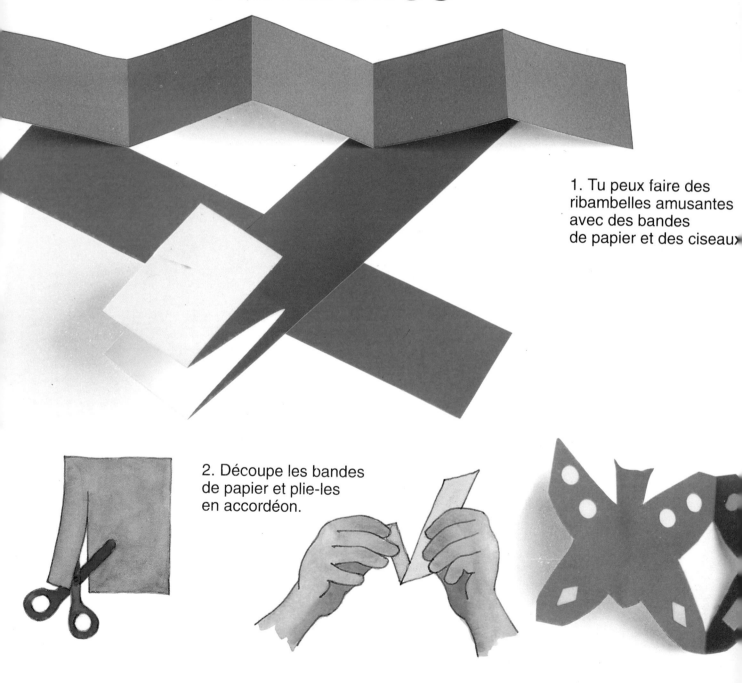

1. Tu peux faire des ribambelles amusantes avec des bandes de papier et des ciseaux.

2. Découpe les bandes de papier et plie-les en accordéon.

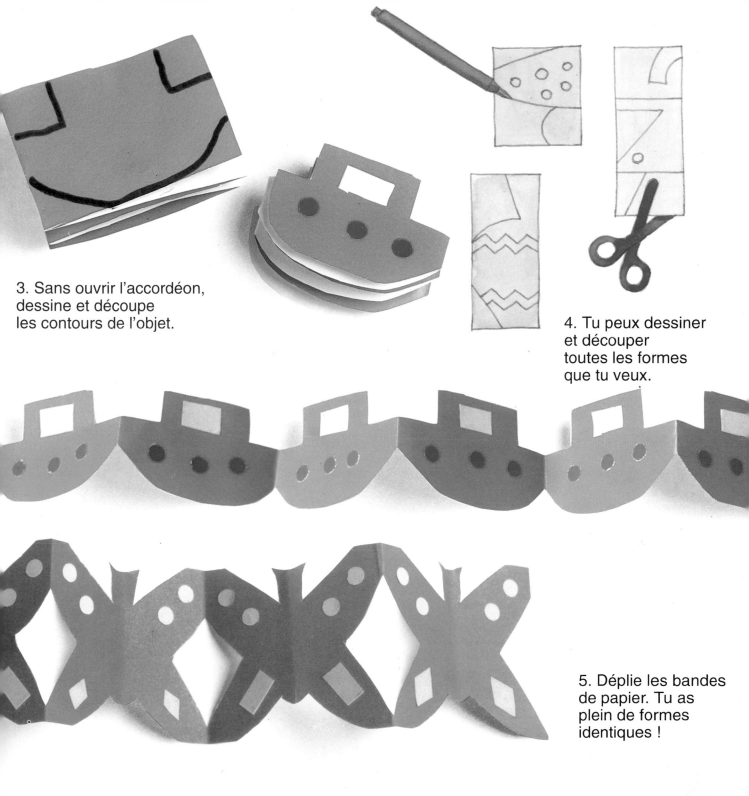

3. Sans ouvrir l'accordéon, dessine et découpe les contours de l'objet.

4. Tu peux dessiner et découper toutes les formes que tu veux.

5. Déplie les bandes de papier. Tu as plein de formes identiques !

Ronde de poupées

1. Il te faut du papier fort de plusieurs couleurs.

2. Découpe les chevelures, puis découpe et dessine les visages.

3. Plie le papier de cette façon, et dessine sur l'une des faces une demi-silhouette.

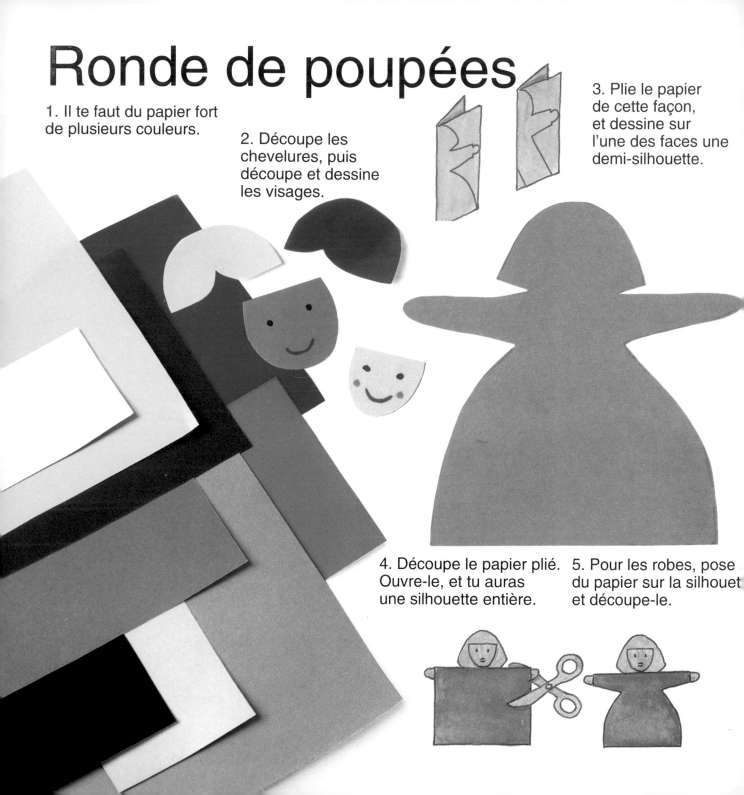

4. Découpe le papier plié. Ouvre-le, et tu auras une silhouette entière.

5. Pour les robes, pose du papier sur la silhouet et découpe-le.

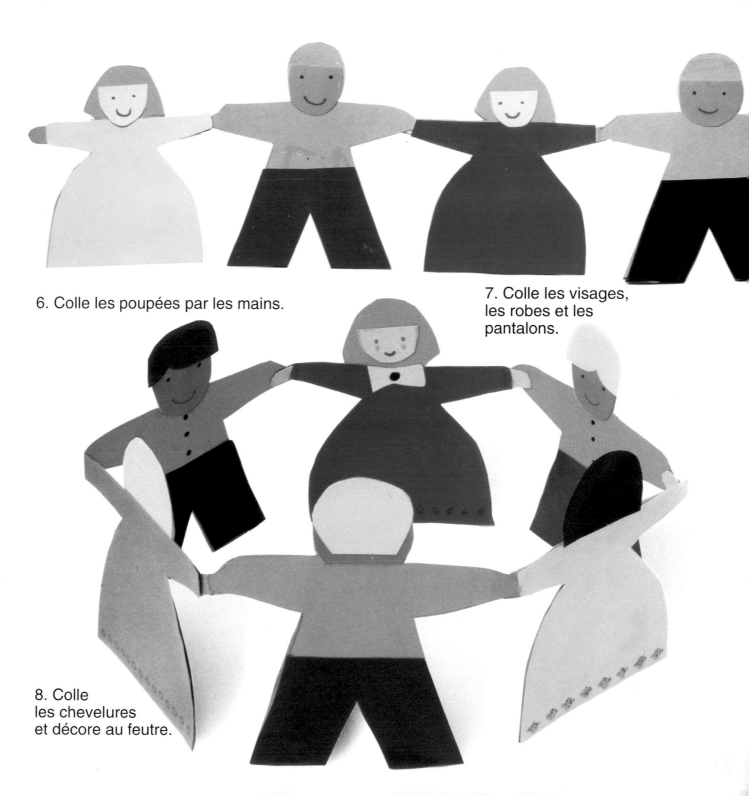

6. Colle les poupées par les mains.

7. Colle les visages, les robes et les pantalons.

8. Colle les chevelures et décore au feutre.

Des arbres en papier

1. Plie
une feuille de papier
fort et découpe
des bandes de tailles
différentes.

2. Détache et
soulève ces bandes
et ouvre ensuite
la feuille de papier.

3. Dessine ce qui te plaît
et colle-le
sur ces bandes.

4. Et voilà
un beau
paysage !

Boîte à secrets

1. Il te faut des feuilles de papier fort de couleur et une boîte d'allumettes vide.

2. Découpe l'une de ces feuilles de la même largeur que la boîte, et recouvres-en la boîte.

3. Dessine et découpe la tête d'un coq sur une feuille pliée. Découpe aussi la queue, le bec.

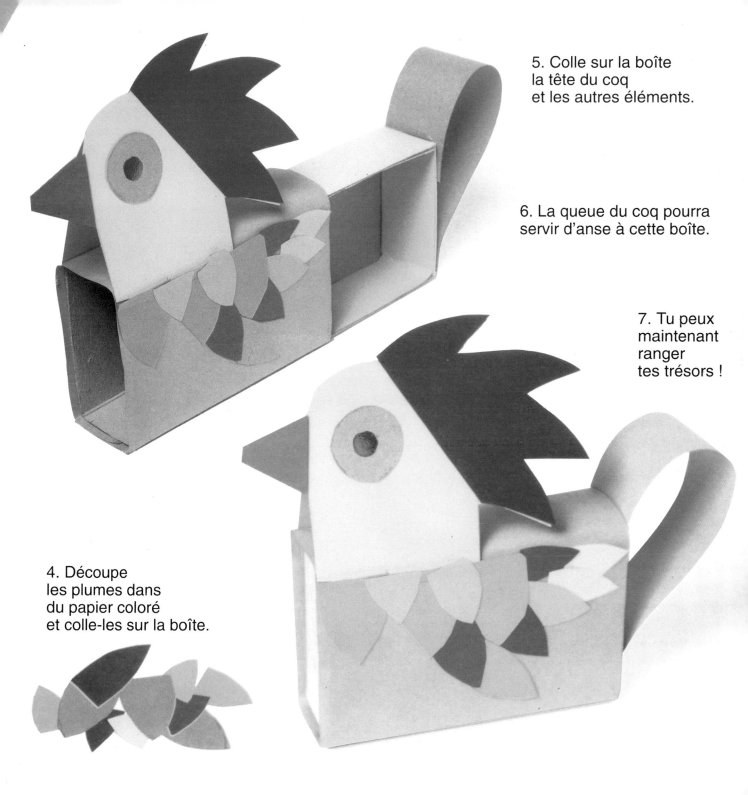

5. Colle sur la boîte
la tête du coq
et les autres éléments.

6. La queue du coq pourra
servir d'anse à cette boîte.

7. Tu peux
maintenant
ranger
tes trésors !

4. Découpe
les plumes dans
du papier coloré
et colle-les sur la boîte.

Un mobile

1. Dessine une silhouette d'oiseau et une de poisson, plie la feuille de papier au niveau du bec ou de la bouche, et découpe ces silhouettes (sans aller jusqu'au bout).

2. La silhouette double obtenue te sert de modèle pour dessiner tous les poissons et les oiseaux. Place ton modèle sur des feuilles de papier fort de couleurs différentes et passe un crayon tout autour.

3. Fais les ailes en pliant en accordéon du papier.

4. Colle la feuille de papier.

5. Fais la queue de la même façon que les ailes, mais colle-la à l'intérieur.

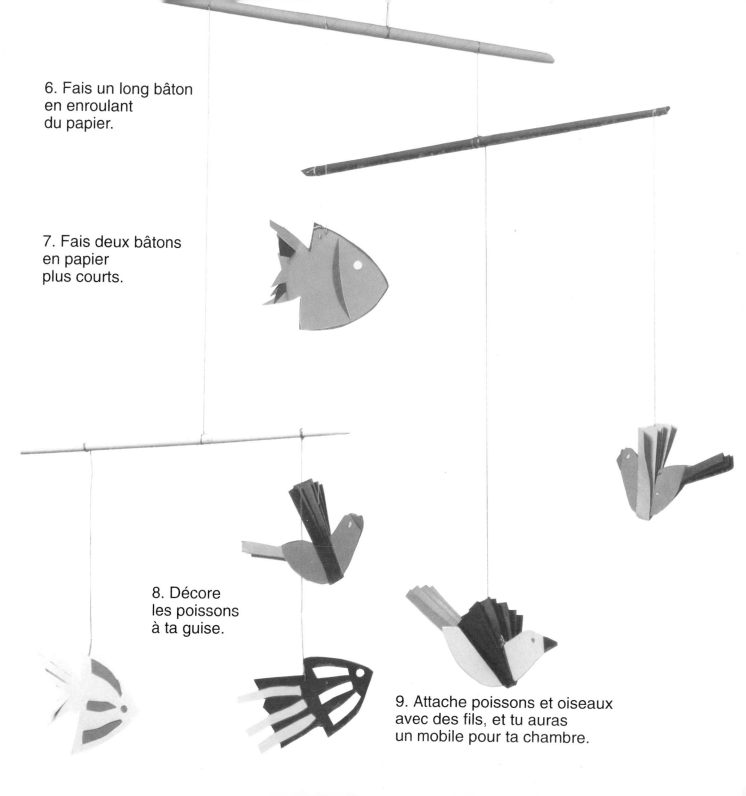

6. Fais un long bâton
en enroulant
du papier.

7. Fais deux bâtons
en papier
plus courts.

8. Décore
les poissons
à ta guise.

9. Attache poissons et oiseaux
avec des fils, et tu auras
un mobile pour ta chambre.

Tes bijoux

2. Pour faire
des bracelets
chenille,
superpose deux band[...]
de papier fort.

1. Fais des bracelets fluo en joignant
par le bout deux bandes de papier fort, et colle
ensuite des petites pastilles ou des gommettes.

3. Plie
les extrémités pour
fixer les deux bandes.

4. Plie la chenille
à partir des extrémités.

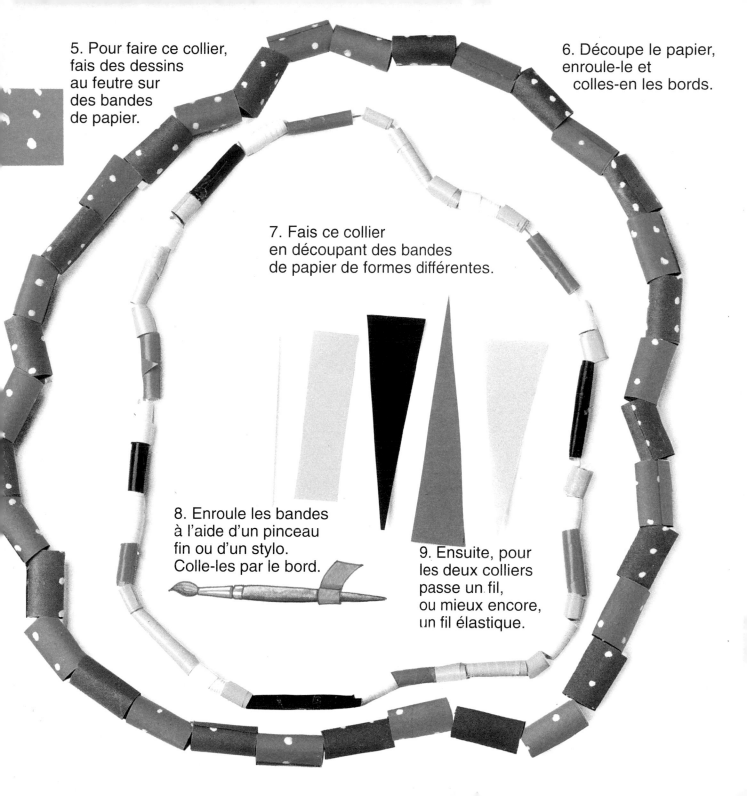

5. Pour faire ce collier,
fais des dessins
au feutre sur
des bandes
de papier.

6. Découpe le papier,
enroule-le et
colles-en les bords.

7. Fais ce collier
en découpant des bandes
de papier de formes différentes.

8. Enroule les bandes
à l'aide d'un pinceau
fin ou d'un stylo.
Colle-les par le bord.

9. Ensuite, pour
les deux colliers
passe un fil,
ou mieux encore,
un fil élastique.

Un moulinet

1. Il te faut deux feuilles de papier
de couleurs différentes, un trombone,
un rond de papier fort et un bouchon en liège.

2. Assemble
les deux feuilles
de papier
coloré.

3. Fais quatre
découpes et pose
de la colle sur
les pointes.

4. Ouvre
le trombone
ainsi.

5. Plie
et colle
les
pointes.

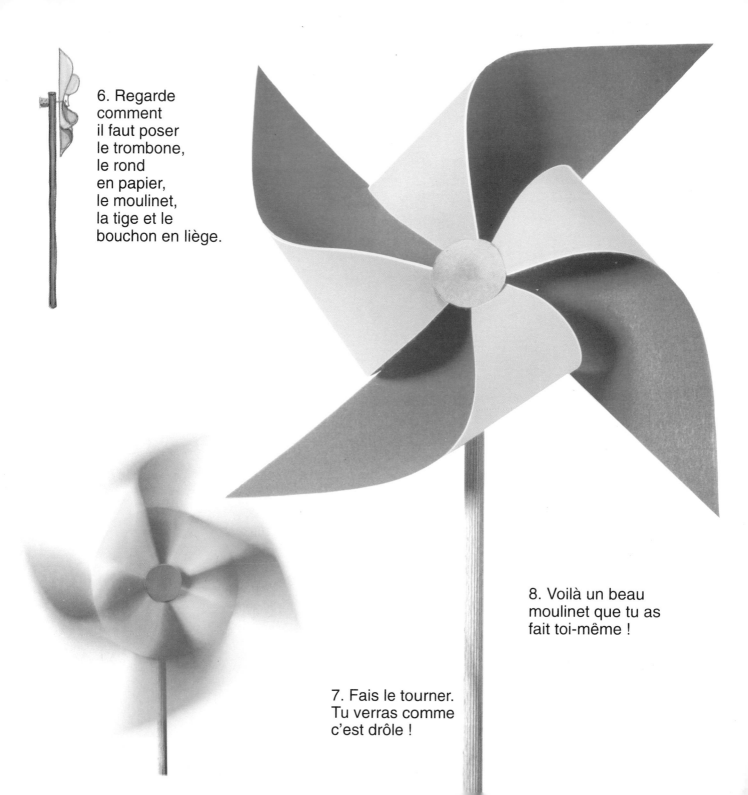

6. Regarde
comment
il faut poser
le trombone,
le rond
en papier,
le moulinet,
la tige et le
bouchon en liège.

8. Voilà un beau
moulinet que tu as
fait toi-même !

7. Fais le tourner.
Tu verras comme
c'est drôle !

Un masque

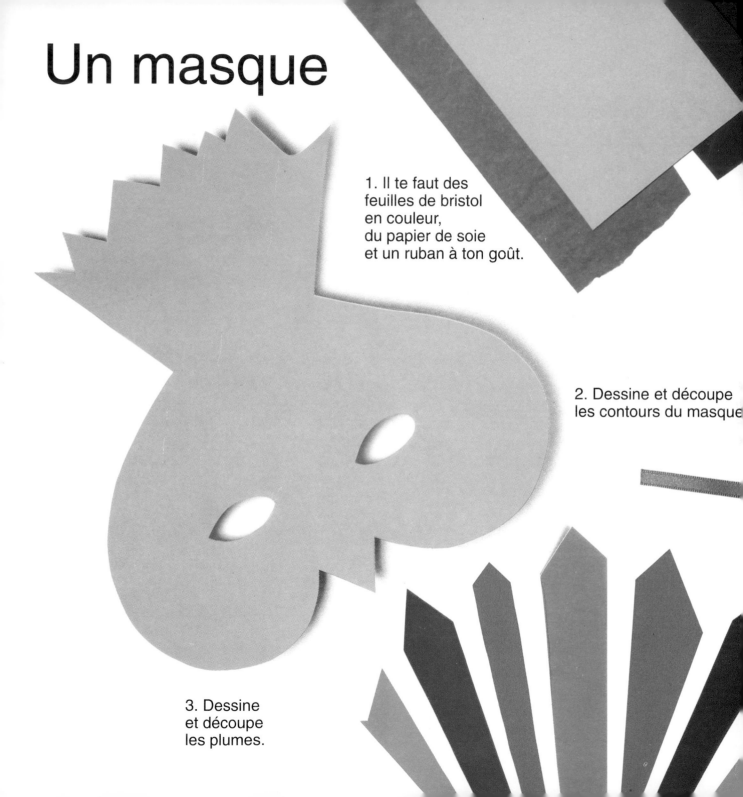

1. Il te faut des
feuilles de bristol
en couleur,
du papier de soie
et un ruban à ton goût.

2. Dessine et découpe
les contours du masque.

3. Dessine
et découpe
les plumes.

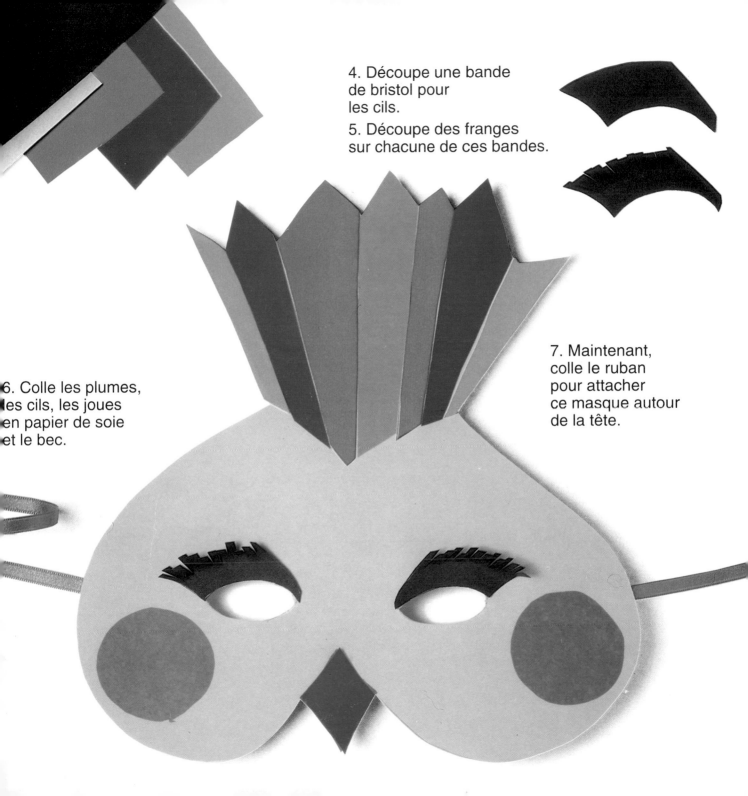

4. Découpe une bande
de bristol pour
les cils.

5. Découpe des franges
sur chacune de ces bandes.

6. Colle les plumes,
les cils, les joues
en papier de soie
et le bec.

7. Maintenant,
colle le ruban
pour attacher
ce masque autour
de la tête.

Maison de poupées

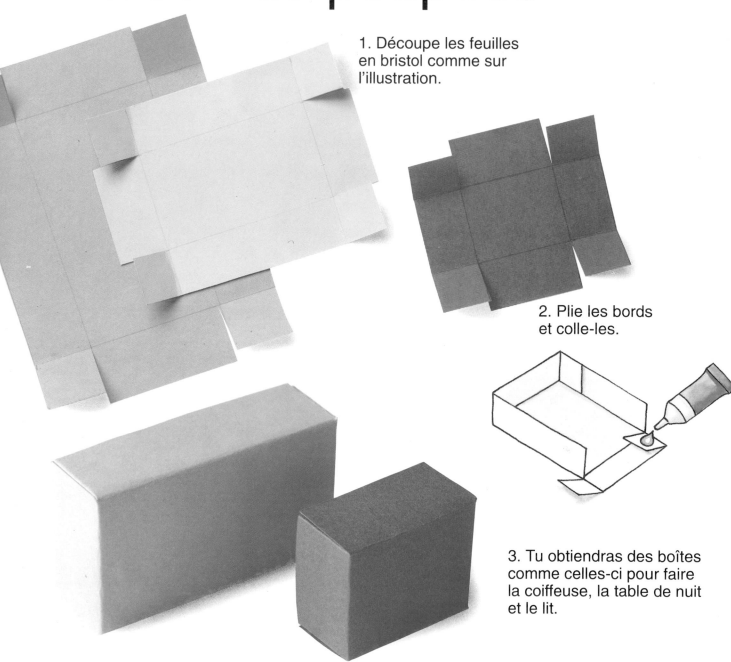

1. Découpe les feuilles en bristol comme sur l'illustration.

2. Plie les bords et colle-les.

3. Tu obtiendras des boîtes comme celles-ci pour faire la coiffeuse, la table de nuit et le lit.

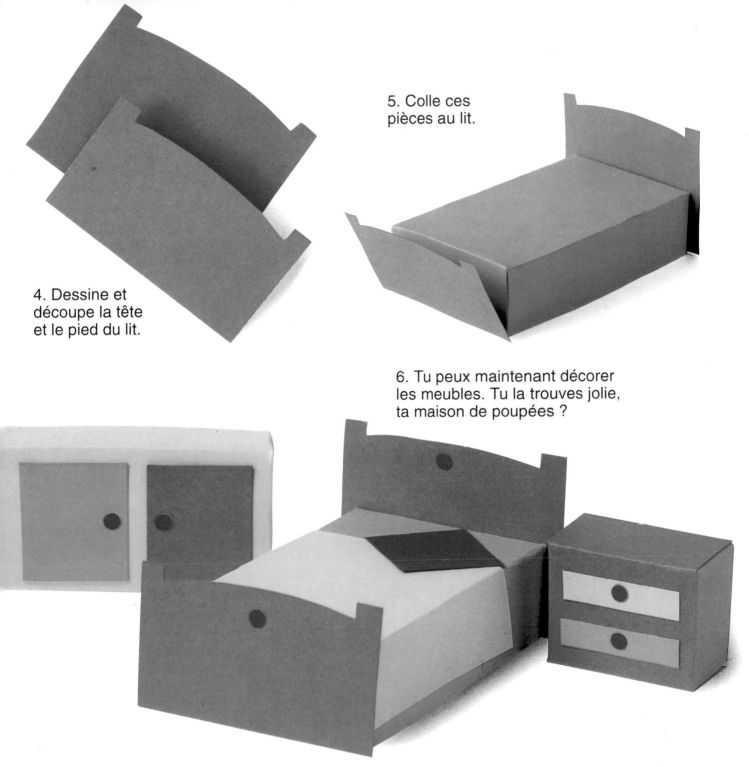

4. Dessine et découpe la tête et le pied du lit.

5. Colle ces pièces au lit.

6. Tu peux maintenant décorer les meubles. Tu la trouves jolie, ta maison de poupées ?

Les activités de ce livre

La chenille

Animaux en papier

Un vase

Une mosaïque

Papier déchiré

Les fleurs

Les ribambelles

Ronde de poupées

Des arbres en papier

Boîte à secrets

Un mobile

Tes bijoux

Un moulinet

Un masque

Maison de poupées

J'APPRENDS À DESSINER

1. Les animaux d'Afrique
2. Les animaux de la forêt
3. Les animaux de la ferme
4. Les animaux de la maison
5. La mer
6. La campagne
7. La montagne
8. Le bord de l'eau
9. Les dinosaures
10. Les animaux du monde
11. Les animaux du Grand Nord
12. Les oiseaux du monde
13. Les belles lettres
14. J'apprends à peindre les couleurs
17. J'apprends à peindre à la gouache
18. J'apprends à dessiner au feutre
19. Les contes
20. Le cirque
21. J'apprends à dessiner au compas
22. J'apprends à dessiner au crayon de couleur
23. La famille
24. L'école
25. J'apprends à décorer au tampon
26. J'apprends à découper
27. Les monstres

IDÉES-JEUX

4. L'album des nœuds
9. Fêtes d'enfants
10. Mon livre d'activités manuelles pour les 7-10 ans
11. Maquillages en cinq minutes
14. La fête est un jeu d'enfant
16. Origami : le monde des animaux
19. Maquillages fantastiques
20. Bricolages faciles
23. Décors et bricolages de Noël
25. Fabriquer des cerfs-volants
26. Décors et bricolages de Pâques
27. Décors et bricolages pour toute l'année
28. Découper, décorer : la fête en papier

29. Petits ateliers au fil des saisons
30. La musique et les petits
31. Noël au jour le jour
32. Premiers maquillages
33. Le clown c'est toi !
34. Halloween et fêtes fantastiques

JE FAIS TOUT SEUL

1. Bateaux en papier
2. Des petits animaux en pâte à sel
3. Des pompons en laine
4. Scoubidous
5. Mosaïques avec une pomme de terre
6. Ribambelles en papier
7. Cocottes en papier
8. Pâte à modeler pour jouer
9. Pochoirs en papier
10. Boîtes à malices
11. Masques en carton
12. Piquages en laine

LE MERCREDI DES PETITS

1. Cadeaux surprises
2. Mes animaux en pâte à sel
3. Desserts malins
4. Pâte à sel en fête
5. Noël, Noël !
6. Petits plats malins
7. Mini-mousse pour maxi-trucs
8. À vos masques !
9. L'herbier
10. Bouquets nature
11. Ma crèche en pâte à sel
12. Maquille-toi !
13. Jeux de Pâques
14. Tout en carton ondulé
15. Fleurs en papier crépon
16. Trésors de la plage

HORS COLLECTION

Mes recettes en fête